터칭 피아노

Dr. Hae-Young Yoo's Touching Piano

In memory of
My dearest Father,
Dr. Bang Hwan Yoo

For everyone who wants to learn how to
play or teach the piano beautifully,
maximize their brain power, and, above all,
enjoy music as a lifelong companion.
The more you know, the more you enjoy.

글 유혜영

피아니스트 유혜영은 예원, 서울예고를 거쳐 연대음대를 수석으로 입학하고 미국 인디애나음대에서 석사(MM), 라이스음대에서 박사학위(DMA)를 받았다. 도미 전 서울챔버오케스트라, European Master 오케스트라와 협연하였고 중앙음악콩쿨 2위 입상, 조선일보사 신인음악회에 출연하였다. 인디애나음대에서 모차르트 서거 200주년 기념 콩쿠르에 우승하고 모차르트 협주곡을 연주하여 "스승인 프레슬러를 연상케 한 섬세한 터치가 인상적인 연주였다."라는 평을 받았다. 미국 카네기홀과 LA Pasadena Hall에서 뉴욕챔버오케스트라와 협연하여 호평을 받았고 라이스음대 재학 시 협주곡 콩쿠르의 우승자로 베토벤 <황제>를 협연하여 3분간 전원기립박수를 받았다. 귀국 독주 후 <음악저널> 신인음악상을 수상하였고 "악파와 시대를 넘는 개성적인 해석"을 높이 평가한 평론가들의 요청에 의해 이례적으로 앙코르독주회를 열었다. 솔리스트로서 상트페테르부르크심포니오케스트라, 루마니아국립오케스트라, KBS오케스트라, 서울심포니오케스트라, 비엔나신포니에타, 야나첵챔버오케스트라, KT챔버오케스트라 등 국내외 유수의 오케스트라와 수십 차례 협연하였고 한국, 미국, 유럽에서 수십 차례 독주회를 하였다. 실내악 연주자로서도 고성현, 박인수, 김영준, Suren Bagratuni, Eric Silberger, Koh Gabriel Kameda, and Misha Galaganov 등 저명한 연주자들과 함께 연주하였다.

예원, 서울예고, 숙명여대 강사, 서울신학대학교 겸임교수, 연세대학교 객원교수, 한국피아노학회 교육분과위원장을 역임하였다. 현재 사단법인 뷰티플마인드 교육이사 겸 아카데미 운영위원으로 사회공헌활동을 하며 한국 헝가리 친선협회 부회장을 맡아 문화외교에도 이바지하고 있다.

편곡 김에스더

연세대학교 작곡과 졸업
파리국립음악원 작곡이론과 졸업
파리국립고등음악원 작곡이론과 졸업
연세대학교. 서울시립대학교. 성신여자대학교. 숙명여자대학교. 추계예술대학교. 한국예술영재교육원. 백석예술대학교 강사역임
현) 서울시립대 출강
음악단체(유) Cantapia 음악감독
다양한 장르의 작·편곡 활동

Touching Piano

터칭 피아노

유혜영, 김에스더 지음

Book 1.

F. Schubert

PAROLE&

일러두기

* 이 책은 피아니스트의 기본자세와 터치, 리듬, 아티큘레이션에 관한 강의를 9개의 QR코드에 담았습니다.
* 전체 11곡의 연주 영상 QR코드도 악보와 함께 실었습니다.

PROLOGUE.

『Touching Piano』는 30여 년간 피아노를 전공하는 학생들을 지도해 온 내용 중에서 기본적이고 핵심적인 피아노 연주의 원리를 요약하여, 쉽고 다양한 곡 안에서 적용하는 것을 제안하는 교재입니다. 또한 스승님이셨던 Menehem Pressler, Dr. Robert Roux, 이경숙, 장경의, 윤미경 선생님을 비롯하여 George Sebok, Leonard Hokanson 등 여러 교수님의 교수법 중에서 교재에 적합한 원칙들을 정리한 것이라고도 할 수 있습니다.

이 책에는 그동안 함께 공부하고 졸업하여 지금은 어엿한 음악인이자 선생님들로 성장한 제자들이 더 유능한 교사가 되고 더 재미있게 학생을 가르치도록 돕고자 하는 제 마음이 담겨 있습니다. 또한 피아노를 좋아하는 모든 아마추어 피아니스트에게는 피아노 연주의 기초를 다지면서도 즐겁게 자신의 연주를 발전시켜 나가도록 돕는 유용한 교재가 되길 바랍니다.

『Touching Piano』의 특징은 각 권에서 한 작곡가의 스타일을 집중적으로 배우고, 각 권의 주제가 되는 내용을 반복적으로 훈련하도록 편곡한 것입니다. 이 교재에 수록된 편곡작품들은 피아노곡뿐만 아니라 성악곡, 실내악곡, 교향곡, 협주곡 등을 포함해 널리 알려진 곡들로 어느 정도 피아노를 쳐본 분들이라면 충분히 음악을 즐기면서 새롭게 배운 테크닉을 적용하고 도전해 볼 만한 수준의 곡들입니다. 피아노로 연주할 수 있는 필수적인 음악적 표현들을 골고루 다룬 Touching Piano의 시리즈를 모두 학습하고 난 후에는, 여러분이 평소에 연주하고 싶었던 곡이 훨씬 자연스럽고 편안하게 느껴지는 것을 경험하게 될 것입니다.

『Touching Piano』는 <사랑의 블랙홀Groundhog Day>이라는 영화에서도 영감을 얻었습니다. 이 영화의 주인공 필(Phil Connors)은 매일 같은 날이 반복되는 저주에 걸린 것을 알고 절망하여 처음에는 거기서 벗어나려고 갖은 애를 쓰다가 나중에는 오히려 반복되는 일상을 통해 사람들을 보는 깊이가 생기고, 인생에서 진정으로 중요한 것이 무엇인지 알게 됩니다. 무엇보다 매일 피아노를 배워 라흐마니노프 <파가니니 주제에 의한 랩소디> 중 18번을 근사하게 연주하여 결국 좋아하던 리타(Rita Hanson)의 마음을 사지요. 피아노를 전혀 못 치던 필이 진심을 다해 연습하니 시간이 흐르며 실력이 날로 향상되는 모습을 보며 감명을 받았습니다. 현실에서도 열정이 있으면 누구나 진정성 있는 멋진 연주자가 될 수 있을 것 같다는 확신이 들었습니다. 피아노를 치는 이유는 영화에서처럼 누구를 위해 멋진 연주를 하고 싶다거나, 내가 좋아하는 곡 하나를 잘 치기 위해 도전한다거나 하는 분명한 이유가 있어도 좋지만, 그냥 피아노 소리가 아름다워서 막연히 시작해도 좋을 것 같습니다. 어떤 이유에서든 피아노를 배우고 알아 가는 그 길을 함께 가며 점점 더 피아노와 음악을 좋아하게 만드는 교재를 쓰고 싶었습니다.

『Touching Piano』는 두 가지를 목표로 합니다. 첫째는 피아노라는 악기를 touch(다루다)하는 법을 배우는 것입니다. 피아노에서 나만의 소리가 아름답고 편안하게 나오도록 여러 방법을 통해서 익혀 보도록 구성했습니다. 또 다른 하나는 피아노 연주를 통해 내 안에 있는 열정 혹은 내면을 touch(느끼다)하는 것입니다. 열정이란 '우리 안에 있는 신'이라고 합니다. 그래서 열정을 표현하려면 진실하고 진지해야 한다고 합니다. 요즘 우리는 핸드폰, 컴퓨터 등을 통해 수많은 세상의 소리를 듣느라 분주합니다. 모든 것이 점점 빨라지고 쉽게 이루어지는 환경에 둘러싸여 있지만 내 안의 소리를 듣는 느린 시간도 필요한 것 같습니다. 피아노를 치며 잠시 내 마음과 열정이 만들어 내는 소리에 몰입한다면 피아노를 쳐야만 마주할 수 있는 자신의 독특한 감성, 취향, 미묘하게 자극받는 뇌의 부분으로 새로운 나를 발견하는, 혹은 진정한 나를 찾을 수 있는 행복감을 얻을 것입니다.

또한 『Touching Piano』에서 특별히 앙상블로
편곡된 익숙하고 재밌는 곡들을 사랑하는
사람들과 함께 연주하는 즐거움도 있을 것입
니다. 앙상블을 통해 교감하고 서로 배려하
며 곡을 만들어 가는 기쁨은 어디서도
느낄 수 없는 독특한 경험입니다. 이 여정을
통해 음악은 평생 진실한 인생의 동반자가
되어 줄 것입니다. 음악을 연주하는 세계는
신이 주신 최고의 선물이고 또 하나의 우주
입니다. 여러분들이 정말 음악을 즐기며
감사함을 느낄 것이라 확신합니다.

『Touching Piano』가 나오기까지 도움을
주신 분들이 있습니다. 영감을 주신 스승님
들은 물론이고 많은 조언과 응원을 해준
친구들과 가족들, 동료 교수님들과 선배님들,
사랑하는 후배들과 제자들, 무엇보다도
원곡의 깊이와 음악적 의미를 살리며 멋진
편곡으로 함께 꿈을 이루어 준 다재다능한
김에스더 작곡가님에게 특별한 감사와
찬사를 보냅니다.

끝으로 지금은 천국에 계시지만 이 책을
시작하도록 용기를 주시고 평생을 한결같이
사랑으로 응원하고 믿어 주셨던
나의 아버지께 말로 다 할 수 없는 사랑과
깊은 감사와 존경을 담아 이 책을 바칩니다.

유혜영

Table of Contents
Book 1 to Book 9

Book 5. Rachmaninoff

A. Basic Principles of touching piano V

- 어둡고 깊이 있는 울림을 주는 터치
- 두터운 화음 연주와 낭만적 선율
- 다이내믹의 대조와 짜임새의 대조

B. Touching Piano with Rachmaninoff

Book 6. Debussy

A. Basic Principles of touching piano VI

- 묘사적이고 절제된 터치
- 새로운 화성과 음향
- 페달링 테크닉

B. Touching Piano with Debussy

Book 7. Liszt

A. Basic Principles of touching piano VII

- 화려하고 빠른 터치
- 템포(속도)의 변화와 조절, 루바토
- 도약, double notes, octaves 등 난도 높은 테크닉

B. Touching Piano with Liszt

Book 8. Schumann

A. Basic Principles of touching piano VIII

- 섬세하고 다양한 색채의 터치
- 변화무쌍하고 성숙한 음악적 표현
- 테크닉 정리

B. Touching Piano with Schumann

Book 9. Touching piano for 4 hands, 6 hands, 8 hands

앙상블의 즐거움

Basic principles of touching piano.

터칭피아노의 기본원칙들

9권에 걸친 『Touching Piano』는 곡의 연주를 시작하기 전에 몸의 움직임에 대해 이해하고 이를 테크닉에 적용하는 방법과 음악적 표현에 필수적인 주법을 다루는 Basic principles of touching piano로 시작합니다.

피아노 연주를 잘한다는 것은 손가락으로 건반을 능숙하게 치고 누르는 동작으로 보이지만, 실제로는 손가락을 발달시키는 것 이상의 온몸의 복합적인 능력이 합쳐져야만 합니다. 악보를 읽고 해석하는 능력, 근육의 효율적인 사용을 통한 민첩하고 정확한 테크닉의 구사, 예민한 귀, 강약과 템포의 완급 조절, 음악적 효과를 더하는 페달링, 양손의 균형 잡힌 소리, 상상력과 창의적인 음악적 표현력 등 수많은 능력이 요구됩니다.

즉 피아노에서 터치란 원하는 음의 종류를 뇌에서 결정하면 이를 표현하기 위해 몸의 여러 부분이 일사불란하고 정교하게 움직여 건반을 누르는 것입니다. 그러므로 피아노를 연주하는 과정은 뇌의 능력과 깊은 관계가 있습니다. 터치에서 가장 중요한 것은 무게와 속도의 조절인데 이는 뇌에서 담당하는 근육의 수축과 이완의 조절 능력과 매우 관련이 높습니다. 음악적 터치를 하려면 악보의 정확한 해석과 근육의 정교한 사용을 통해 건반을 누르는 속도의 조절이 요구되기 때문에 이 과정은 어느 정도의 훈련을 거쳐야 합니다.

그래서 알고 보면 연주가들은 손가락의 근육을 비롯한 여러 근육이 매우 발달해 있고 이를 관장하는 뇌의 운동영역도 특별하게 발달한 사람들이라고 할 수 있습니다. 이 부분은 대부분 운동선수가 필요로 하는 능력과 흡사하다고 볼 수 있습니다.

처음 피아노를 배울 때는 몸 전체 근육의 협동과 조정이 필요하다는 사실을 간과하기 쉽습니다. 부조니도 테크닉은 두뇌에 있으며 건반에서의 거리감을 견적하고 현명하게 근육운동을 일치시키는 것이라고 했습니다. 그러므로 올바른 터치를 구사하는 기술은 피아노 테크닉의 기본동작이지만 동시에 고도로 훈련된 몸의 협동 능력을 발휘하는 것이기도 합니다.

피아노에서 낼 수 있는 touch의 종류는 매우 많은데 음악 용어로 정리된 내용은 아닙니다. 하지만 분명한 것은 좋은 연주자일수록 많은 touch를 구사합니다. Singing touch, Light touch, Dark touch, Powerful touch, Brilliant touch, Sweet touch, Intense touch 등등 매우 다양합니다. 수많은 종류의 터치를 표현해 내려면 수준 높은 테크닉과 무한한 상상력이 필요합니다. 이럴 때 피아노가 아닌 다양한 악기를 모방해 보거나, 어떤 장면이나 감정을 떠올리는 것이 큰 도움이 됩니다. 다양한 종류의 터치를 구사함으로써 마치 수많은 색의 물감을 손에 쥔 화가처럼 더 많은 감정을 섬세하고 창의적으로 자유롭게 표현할 수 있게 됩니다. 그래서 여러 장르의 곡을 편곡한 『Touching Piano』를 원곡과 함께 감상하며 연습하는 것을 권합니다.

흔히 빠른 곡을 정확히 잘 치는 연주자들에게 테크닉이 뛰어나다는 말을 많이 하는데 좀 더 깊이 있게 보면 진정한 테크닉은 음악의 구성

요소인 멜로디, 화성, 리듬, 박자, 아티큘레이션, 짜임새, 형식, 프레이징, 다이내믹 등을 충분히 이해함으로써 더욱더 효율적이고 기민하게 몸을 움직이는 것이라 할 수 있습니다. 즉 테크닉은 결국 음악적인 표현을 위해 필요한 도구이므로 쉬운 곡부터 아름답게 연주하면서 테크닉을 익히는 것이 바람직합니다. 『Touching Piano』의 곡들은 대부분 매우 짧지만 다양한 음악적인 표현을 위해 테크닉적인 도전을 하는 부분들이 여기저기 분포되어 있으므로 즐겁게 연주하다 보면 어느덧 테크닉이 한층 발전되어 있는 것을 느낄 것입니다.

사실 피아노의 역사는 그리 길지 않습니다. 대략 15~16세기경에 널리 사용되던 건반악기인 하프시코드는 피아노의 전신이라고 할 수 있습니다. 하프시코드는 현을 뜯어 소리를 내는 악기로 아주 작은 힘으로 터치해도 맑고 또렷한 소리가 났지만, 음량을 조절하는 것은 불가능한 것이 한계였습니다. 이후 1709년 이탈리아의 하프시코드 제작자인 크리스토포리(Bartolomeo Cristofori, 1655-1731)는 작은 해머가 스트링을 때리는 방식으로 연주되는 액션(건반악기의 기계장치)을 갖춘 '작은 소리와 큰 소리를 낼 수 있는 하프시코드(Clavicembalo col piano e forte)'라는 악기를 발명합니다. 이 악기는 '피아노포르테'로 불리다가 더 줄여서 오늘날 우리가 아는 '피아노'라는 이름을 가지게 됩니다. 피아노는 음량을 섬세하게 조절할 수 있고 댐퍼페달의 개량 등으로 울림도 한층 커지는 등 성능이 빠른 속도로 발전하면서 하프시코드의 자리를 점차 대체하게 됩니다. 또한 손가락으로 정확하게 타건만 하면 소리가 나는 하프시코드의 주법과는 달리 피아노에서는 손가락뿐만 아니라 몸의 다른 부분들도 이용하여 다양한 터치들을 구사할 수 있게 되었습니다.

특히 18세기 피아노의 발달은 베토벤의 무한한 창조적 상상력과 더불어 피아노 테크닉의 새로운 장을 열었습니다. 이때부터 관현악적인 소리, 다양한 터치를 통한 깊이 있는 감정의 표현, 민첩한 손가락 외에도 건반의 속도를 몸 전체를 사용하여 정확히 조절하는 능숙함이 필요하게 되었습니다. 19세기는 피아노의 크기도 커지면서 더욱 무거운 액션과 깊어진 건반, 이중 이탈장치를 장착해 낭만 시대의 풍부한 표현력과 더불어 화려한 테크닉을 구사하며 피아노가 가장 인기를 누렸던 시대라고 할 수 있습니다. 20세기에는 피아노줄을 고정하는 금속 프레임 덕분에 강철 현을 사용할 수 있게 되어 한층 더 강한 소리가 가능해졌습니다. 지금의 그랜드 피아노라고 할 수 있습니다. 피아노는 한마디로 유일하게 오케스트라를 대신할 수 있을 만한 위대한 악기로 발전했습니다.

또한 페달은 19세기 이후 한층 널리 사용되었는데 예민한 귀와 민첩한 발의 움직임을 통해 새로운 음색과 음향을 창조하는 매우 수준 높은 테크닉입니다. 아티큘레이션을 강조하고, 효과적인 음향을 만들어내거나 멜로디를 더 유려하게 표현하는 등 음악적인 연주를 위해 페달은 꼭 필요한 마지막 터치입니다. 페달링 테크닉은 6권에서 자세히 설명하겠습니다.

좋은 피아노 연주를 위한 원칙은 다음과 같이 두 가지로 정리할 수 있습니다.

첫 번째 원칙은 자연스럽게 울림이 있는 아름다운 소리를 내는 것입니다.

연주는 명확하고 자연스럽게 말하는 것과 비슷하다고 할 수 있습니다. 때로는 속삭이고 때로는 설득하고 때로는 소리치기도 합니다. 신이 주신 가장 아름다운 악기는 인간의 목소리라고 합니다. 악기 중에 가장 오래된 관악기도 휘파람 등 사람의 목소리를 모방하여 생긴 것으로 관에 입으로 공기를 불어 진동으로 부는 악기입니다. 피아노는 엄밀히 말하면 타악기이지만 수 세기에 걸쳐 급속도로 발달한 악기의 기능과 뛰어난 피아니스트들이 발전시킨 테크닉으로 최대한 사람의 목소리와 비슷한 울림으로 연주할 수 있는 섬세한 악기입니다.

두 번째 원칙은 악보를 정확히 읽는 법을 익히는 것입니다.

음악은 감정을 전달하는 어떤 형식과 구조를 갖춘 소리의 예술입니다. 그리고 연주자는 작곡자가 의도한 악보의 내용을 청중에게 충실히 전달하는 역할을 합니다. 그래서 어떤 곡을 치더라도 음악적 의도가 분명하고 감정이 실린 터치를 해야 청중의 공감을 받을 수 있습니다. 하지만 연주자의 감정은 악보에 대한 해석과 밀접한 관련이 있습니다. 예컨대 악보의 포르테를 얼마나 세게 쳐야 하는지 정해진 것이 있을까요? 악보에 적힌 모든 지시사항을 똑같이 지켜서 치더라도 각 연주자의 감정과 해석에 따라 연주가 크게 달라집니다. 연주의 가장 매력적인 부분이기도 합니다.

악기를 만지며 나의 감정을 표현하는 일은 매우 흥미로운 일이면서도 손목의 각도나 자세, 근육들을 미세하게 움직이며 원하는 소리를 내기 위해 도전하는 과정은 실질적으로 몸의 모든 감각들을 연결시켜 정신과 육체에 건강한 자극을 줍니다. 게다가 연주를 하기 시작하면 음악을 감상만 할 때는 들리지 않던 새로운 것들이 많이 들려 지루할 틈이 없어지는 또 다른 세계가 열립니다.

그러므로 터칭 피아노의 가장 중요한 원칙은 "모든 음은 음악적 의미와 연주자의 감정이 담긴 아름다운 소리여야 한다."라는 것입니다.

9권의 『Touching Piano』는 우선적으로 피아노 연주의 기본과 본질을 명확하게 이해하고 기술을 습득하도록 구성했습니다. 1권에서는 좋은 소리를 내기 위한 피아니스트의 기본자세를 익히고 몸의 각 부분의 기능과 관련된 테크닉을 알아봅니다. 2권에서는 연주와 연결된 뇌의 능력과 귀의 훈련에 관한 내용을 보다 자세하게 다루게 되며, 3권부터는 연주에 필요한 근육의 각 부분을 효율적으로 사용할 수 있게 하는 준비운동과 테크닉을 활용해 봅니다. 4권 이후로는 더욱 난도가 높은 곡들의 작품에서 요구되는 음악적 표현을 위해 적절하고 예민하게 근육을 움직이는 방법들과 페달링 등을 세부적으로 훈련합니다. 마지막 9권은 선생님과 제자, 동료들과 함께 앙상블의 즐거움을 경험할 수 있는 곡들로 구성하였습니다. 아름다운 터치를 만들기 위해 『Touching Piano』의 각 권에는 반복적으로 강조하는 내용을 <Teaching point>로 정리해 두어서 빠짐없이 학습하도록 하였습니다. 그리고 각 권의 10번 곡은 연주용으로 적당한 길이로 다소 난도 높게 편곡하여, 연주를 하며 도전을 통해 성취감을 느낄 수 있도록 유도하였습니다.

『Touching Piano』는 1년 안에 전권을 마스터할 수 있도록 구성하였습니다.

Touching Piano with Schubert.

A. Basic Principles of touching piano.

1. 피아니스트의 기본자세

경험이 많은 선생님일수록 학습자들의 체형에 맞는 자세를 찾아 주고 좋은 톤을 내기 위해 몸을 효율적으로 사용할 수 있도록 도울 수 있습니다. 맞는 자세를 찾으려면 학습자도 선생님도 몸에 관한 기본적인 인식이 있어야 더욱 능률적으로 수업이 이루어지고 궁극적으로 예술적 표현(Artistic Expression)을 이끌어 내는 데에 큰 도움이 됩니다. 교육 초기에 이 접근 방식을 도입하면 학습자가 불필요한 근육 긴장과 특이하거나 비효율적인 습관을 피하는 데 도움이 될 수 있습니다.

1) 여러 근육과 관절의 위치와 기능 이해하기

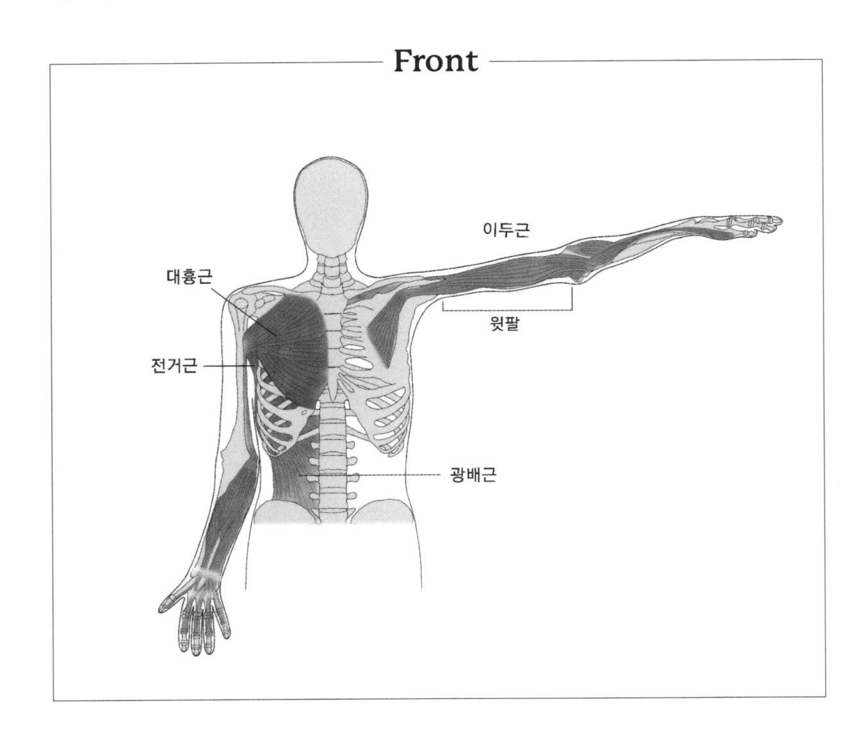

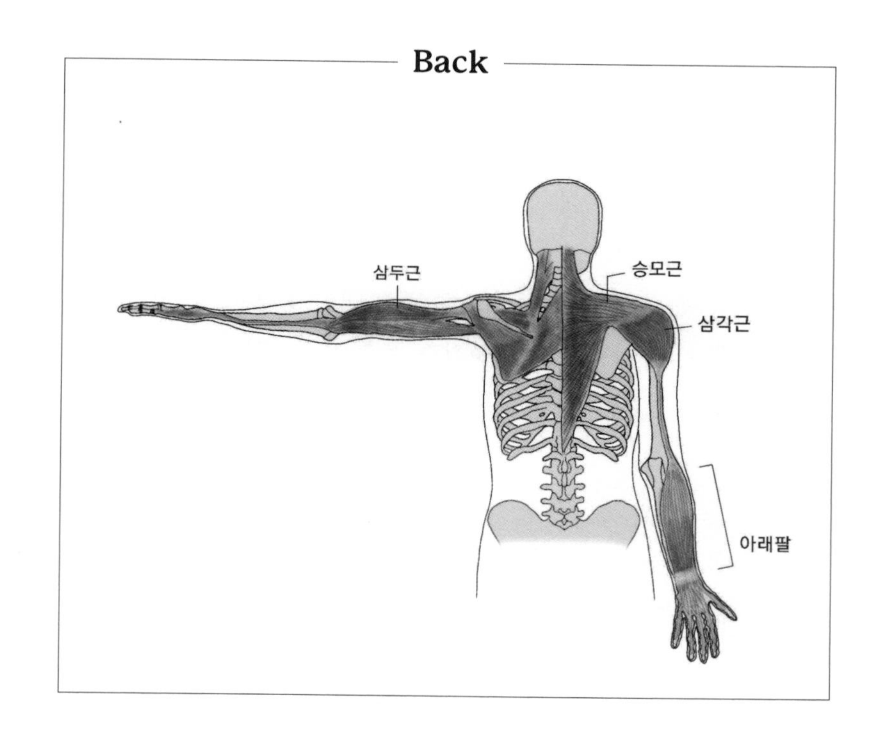

2) 자연스러운 터치를 위한 효율적인 몸의 사용

터칭피아노 #1 자세
https://youtu.be/fZLpQOlO4AY

① 신체에 알맞은 자세 찾기

가슴을 펴고 허리를 편안하게 세우고 피아노 앞에 앉았을 때 팔은 자연스럽게 팔의 무게가 건반에 실리도록 올려놓습니다. 허리를 펴고 의자에 앉았을 때 피아노 건반과 아래팔은 수평이 되고 위팔과 아래팔이 거의 90도 각도를 유지하며 수월하게 움직일 수 있도록 의자의 높이를 조절합니다. 그리고 건반과 몸 사이는 팔을 펼쳤을 때 건반의 음역을 끝까지 다 칠 수 있는 공간을 확보하고 팔꿈치가 몸통에 걸리지 않도록 적당한 거리를 두고 앉습니다.

② 몸통

몸통은 팔의 움직임에 따라 앞으로 뒤로 또는 오른쪽 왼쪽으로 움직일 수 있도록 살짝 의자 앞쪽에 걸터앉습니다. 복부를 부드럽게 긴장하여 몸의 중심은 흔들리지 않도록 합니다. 연주를 하다 보면 음역대에 따라 왼손이 높은음을 연주하기도 하고 반대일 경우도 있습니다. 이런 경우에는 엉덩이의 기울기를 조정하여 몸통의 무게중심을 이동시켜 고른 소리가 나도록 연주합니다.

터칭피아노 #2 몸통
https://youtu.be/ftw9s0Hn_9M

③ 어깨

어깨는 팔과 몸통을 연결하며 팔을 들고 있는 역할을 하고 있습니다. 즉, 어깨를 통해 연주 시 등근육과 가슴근육을 씁니다. 피아노를 치려면 팔을 든 상태가 되고, 이미 어깨가 힘을 쓰고 있는 것이므로 어깨는 과도하게 긴장하지 않도록 노력합니다. 처음 피아노를 치면 자기도 모르게 어깨가 경직되는 경향이 있으므로, 연습할 때 20~30분마다 팔을 내려 어깨를 쉬어 주고 어깨를 회전시키는 운동을 하거나 근육을 이완시켜 등과 가슴근육도 풀어 줍니다. 그렇지 않으면 승모근의 피로감이 누적되어 목에 통증이 오거나 등이 아플 수 있습니다. 오랜 시간 연습해도 어깨의 피로감을 느끼지 않으려면 어깨를 쓰는 대신 겨드랑이 아래에 있는 전거근을 쓰면 됩니다. 어깨를 보조하는 역할을 하는 전거근을 쓰면 소리도 훨씬 단단하고 풍성해집니다. 부드럽게 이완된 어깨는 음악의 흐름을 이끌어 가기도 하고 도와주는 역할을 합니다.

터칭피아노 #3 어깨
https://youtu.be/KE5aNH9TUB4

④ 팔

위팔은 어깨의 삼각근을 통해 팔 전체를 들어 올리고 내리는 일을 하고 팔꿈치를 통해 팔의 움직이는 방향과 거리 등을 조절해 줍니다. 팔꿈치의 방향은 프레이징과 밀접한 연관이 있습니다. 이두근은 가슴근

터칭피아노 #4 팔
https://youtu.be/2W8nndHp0rQ

육과 연결되어 섬세한 표현과 엄지를 조절하고, 삼두근은 등근육과 새끼손가락과 연결되어 멜로디와 베이스 등을 표현하는 데 도움을 줍니다. 그래서 위팔의 근육은 크고 작은 악상의 조절과 톤의 균형을 잡는 데 필요합니다. 아래팔의 역할은 위로 아래로 좌우로 회전운동을 담당합니다. 또한 아래팔은 유연하게 움직여 흰건반일 때와 검은건반일 때 높이와 위치가 달라져야 합니다. 아래팔의 움직임은 건반을 누르는 속도를 조절하는 동작부터 아티큘레이션과 프레이징을 결정하는 다운과 업의 기능을 담당하는 것까지 다양합니다.

터칭피아노 #5 손목
https://youtu.be/EBf_uzbtLQU

⑤ 손목

울림이 있는 아름다운 목소리는 설득력이 있습니다. 피아노도 마찬가지로 울림이 있는 소리를 내야 하는데 손목에 힘을 주면 목에 잔뜩 힘이 들어간 채로 말을 하는 것과 같은 현상이 일어납니다. 목에 힘이 잔뜩 들어간 소리는 울림이 없어서 멀리 가지 않습니다. 손목의 이완은 마치 현악기의 비브라토 같은 것입니다. 피아노 건반은 수직적으로 움직이고 평면으로 고정되어 있어서 우리 손과 몸이 건반의 모양에 맞춰 유연하게 움직여야 합니다. 또한 손목은 음악의 느낌에 맞게 부드럽게, 때로는 민첩하게 움직여야 합니다. 손목은 굳어 있어도 안 되지만, 위아래로 심하게 흔들면 음악의 흐름에 큰 방해를 주게 됩니다. 그래서 수평적 움직임 역시 중요한데 손가락의 길이와 위치에 따라 손목이 미세하게 움직여야 합니다. 특히 엄지를 사용할 때는 소리가 고르고 아름답게 나도록 손목의 움직임을 조절해야 합니다.

터칭피아노 #6 손
https://youtu.be/_dfkmav0Bxg

⑥ 손

자연스러운 손 모양을 유지합니다. 꼭 필요한 경우를 제외하고는 과도하게 손가락을 세우거나 오그리지 않습니다. 팔 전체의 무게가 손끝에 실린다고 생각하면서 손등이 무너지지 않도록 손가락이 버티는 훈련을 하면 도움이 됩니다. 다섯 손가락 중에서 특히 엄지의 기능이 중요합니다. 엄지손가락은 완전히 독립된 자율행동이 가능한 인대를 사용하기 때문에 글씨를 쓴다든지 젓가락질을 하는 등의 정교한 일을 하는 데 필수적입니다. 각 손가락의 힘과 기능은 각각 다르고 근육과 인대의 크기가 고르지 않기 때문에 악기를 연주하는 사람들은 다섯 손가락을 고르고 정교하게 움직이는 연습을 끊임없이 해야만 합니다.

2. 따뜻하고 가벼운 터치

터칭피아노 #7 따뜻한 터치
https://youtu.be/FUj0AXK2Dt8

따뜻한 터치는 말하는 듯한, 듣기가 좋은 아름다운 톤을 만들기 위한 터치라고 생각하면 됩니다. 우선 손끝으로 연주하지만 손톱이 아니라 그 아래의 살을 이용합니다. 따뜻한 소리를 내려면 살을 많이 쓰고 건반을 넓게 사용해야 합니다. 손의 모양은 손바닥의 근육을 사용해 둥글게 유지합니다. 앞서 언급했듯이 피아노를 연주하는 것은 힘으로 치는 것이 아니라 무게와 속도를 조절하는 것입니다. 그러므로 따뜻하고 건강한 톤이 나려면 손가락에 무게가 실려야 하고 음을 연속적으로 연주할 때는 손가락에서 손가락으로 무게가 이동해야 합니다.

따뜻하고 가벼운 터치는 터치 후 손목을 들어 올리며 손바닥이 건반의 안으로 향하게 하는 것입니다. 화려하면서도 가벼운 터치는 팔과 팔꿈치는 최대한 고정하고 손끝과 손바닥의 근육을 이용하여 칩니다. 손등으로 빠르게 들어 올리면 됩니다.

그래서 좋은 톤을 만드는 연습은 듣기 좋고, 현재 수준보다 연주하기 편한 곡으로 시작하는 것이 좋습니다. 예를 들어 아마추어들이 쉬운 곡을 치면서 좋은 소리를 내는 경우입니다. 자신의 소리를 즐기느라 알지도 못하는 사이, 손끝의 살을 이용하여 자연스러운 동작을 하며 아름다운 톤을 내게 됩니다.

1권의 모든 곡은 악보에 표시된 기본적인 지시사항을 충분히 이해하는 것과 좋은 톤을 만드는 것에 집중하는 것을 목표로 편곡했습니다.

3. 리듬과 아티큘레이션

터칭피아노 #8 리듬
https://youtu.be/9G2QjihVb10

1) 리듬(Rhythm)

리듬은 가장 원초적인 음악의 형태로 일정한 박자나 규칙을 바탕으로 음표의 길이나 비트가 반복되는 패턴을 의미합니다. 즉 음높이(피치, pitch)를 바탕으로 하는 멜로디나 화성과는 다른 시간적 개념의 음악으로 리듬 자체만으로도 음악을 느낄 수 있습니다. 음악에 생기를 불어넣는 것은 리듬이고, 리듬을 즐기고 리듬을 갈이 탈 수 있게 하는 것은 연주가 주는 가장 큰 기쁨 중 하나입니다. 그러므로 리듬감이 좋은 동료나 선생님과 듀오로 연주하는 것은 리듬감을 익히는 좋은 방법이 될 것입니다.

리듬은 템포, 박자와 관계가 깊습니다. 정해진 빠르기에 맞도록 음들의 길이를 정확히 지속적으로 유지하는 것이 원칙이나, 리듬은 음악적 내용과 박에 의해 조금씩 변할 수 있습니다. 사실 강박일 때와 약박일 때 또는 프레이즈(작은악절)의 시작과 끝부분 등에서는 빠르기가 메트로놈처럼 일정하게 지켜지기 어렵습니다. 그렇다고 해서 마냥 늘어지거나 빨라지지도 않습니다. 그러므로 우선 음악적 내용과 음의 길이를 정확히 알아야 음악적 흐름에 맞는 설득력 있는 리듬을 만들 수 있습니다.

i . 음표의 종류

온음표, 2분음표, 4분음표, 8분음표, 16분음표, 32분음표.

𝅝	온음표 Whole Note	....	**4박자**
𝅗𝅥	2분음표 Half Note	....	**2박자**
♩	4분음표 Quater Note	....	**1박자**
♪	8분음표 Eighth Note	....	**반박자**
𝅘𝅥𝅯	16분음표 Sixteenth Note	....	**반의반박자**
𝅘𝅥𝅰	32분음표 Thirty-second Note	....	**반의반의반박자**

ii . 쉼표의 종류

음악에서는 많은 부분에서 쉼표까지도 매우 정확하게 지켜져야 긴장감과 음악적 에너지가 지속됨을 느낄 수 있습니다. 예를 들어 <열정 소나타>의 1악장에서 나오는 모든 쉼표는 매우 정확하게 지켜져야 긴장감 넘치는 곡의 분위기를 살릴 수 있습니다.

온쉼표, 2분쉼표, 4분쉼표, 8분쉼표, 16분쉼표, 32분쉼표.

𝄻	온쉼표 Whole Rest	....	**4박자**
𝄼	2분쉼표 Half Rest	....	**2박자**
𝄽	4분쉼표 Quater Rest	....	**1박자**
𝄾	8분쉼표 Eighth Rest	....	**반박자**
𝄿	16분쉼표 Sixteenth Rest	....	**반의반박자**
𝅀	32분쉼표 Thirty-second Rest	....	**반의반의반박자**

터칭피아노 #9 아티큘레이션
https://youtu.be/m0iNyYdCeBU

2) 아티큘레이션(Articulation)

아티큘레이션은 연주자가 연속적인 음들을 연결하거나, 강조하거나, 끊는 방식을 말합니다. 예를 들어 서로 가장 반대되는 아티큘레이션은 부드럽게 연결하는 레가토(legato)와 분명하게 끊어서 연주하는 스타카토(staccato)라고 할 수 있습니다. 이외에도 슬러(slur, 이음줄), 악센트(accent), 테누토(tenuto), 마르카토(marcato) 등이 있는데, 명확하고 다양한 음악적 표현을 하는 데 매우 중요한 요소라고 할 수 있습니다. 나아가서는 각각의 음을 어떻게 시작하고 마무리하는지 결정하는 터치(touch)와 음악적 문맥을 결정하는 프레이징(phrasing)과 밀접한 관계가 있습니다.

i . 레가토(legato)

현악기나 관악기 주법에서 비롯한 것으로 연속적인 음들이 끊어짐 없이 부드럽게 연주되는 것을 의미합니다.

ii . 슬러(slur)

두 개 또는 그 이상의 음들을 손목 로테이션(rotation)을 이용하여 부드럽게 레가토로 연주하라는 표시입니다. 현악기에서는 한 번의 보잉으로 연주합니다. 더 많은 음에 걸쳐 슬러 라인이 있다면 프레이징을 의미합니다.

iii. 스타카토(staccato)

레가토의 반대 개념으로 음을 짧게 끊어서 연주하는 것입니다. 스타카토의 종류는 다음과 같습니다.

① 스타카토: 원음의 1/2 길이로 연주합니다. 주법은 손끝으로 하는 스타카토와 손가락을 고정하고 손목을 사용하는 스타카토, 손가락과 손

목을 고정하고 아래팔로 연주하는 스타카토가 있습니다. 그렇다고 이 중에서 어느 한 가지만 사용한다는 것은 아닙니다.

② 슬러 스타카토(slur staccato, portamento): 대략 원음의 3/4 길이로 연주합니다. 기호는 스타카토와 슬러를 병용하여 사용하며 현악기 주법의 포르타토(portato)와 흡사합니다(활을 바꾸지 않고 여러 음을 조금씩 분리해서 연주합니다. 칸타빌레 성격을 가지고 있습니다).

③ 메조 스타카토(mezzo staccato): 역시 원음의 3/4 길이 정도로 연주합니다. 기호는 스타카토와 테누토를 병용하여 사용, 음표-스타카토-테누토 기호순으로 적습니다.

④ 스타카티시모(staccatissimo): 원음의 1/4 길이로 연주한다고 생각하며 매우 짧게 연주합니다.

iv. 악센트(accent)

주어진 음 또는 화음을 속도를 높여 주변의 음들보다 세게 치거나 길게 강조하는 것입니다.

v. 테누토(tenuto)

주어진 음을 최대한 길게 눌러 치는 것입니다. 그래서 테누토 다음 박은 정확한 박보다 살짝 늦게 들어오는 듯하게 들립니다.

vi. 마르카토(marcato)

악센트보다 더 크게 한음 한음씩 분명히 강조해서 칩니다. 멜로디를 더 명확하게 하기 위해 표시하는 경우가 많으므로 스타카토처럼 끊어서 치지는 않지만, 레가토처럼 연결하지도 않습니다. 논 레가토(non-legato)에 가까운 터치입니다.

vii. 페르마타(fermata)

표시된 음가 이상 늘여서 연주합니다.

Musical Accents (Articulation)

슬러

스타카토

슬러 스타카토

메조 스타카토

스타카티시모

악센트

테누토

마르카토

페르마타

B. Touching Piano with Schubert

Franz Peter Schubert (1797~1828)

오스트리아의 작곡가 슈베르트는 음악사에서 바흐나 모차르트, 베토벤만큼 위대한 작곡가로 여겨지지 않는 것 같지만 슈베르트의 서정성과 따뜻하고 감미로운 선율을 사랑하는 사람은 너무나 많습니다. 피아니스트 알프레드 브렌델(Alfred Brendel)은 슈베르트의 음악은 우리를 현실이 아닌 꿈속으로 데려간다고 했습니다.

정말 놀라운 일은 슈베르트가 31세에 생을 마감하였으므로 그가 남긴 1,000여 곡 대부분을 10대와 20대에 작곡한 것입니다. 하지만 그가 천재 작곡가로 불리는 이유는 작품활동 기간이 짧았음에도 불구하고 다양한 감정을 섬세하고 낭만적으로 표현한 깊이 있고 완성도 높은 작품들이 믿을 수 없이 많다는 사실입니다. 슈베르트는 18세에 이미 교향곡 2번, 3번, <마왕>, <들장미> 등을 작곡했습니다. 그가 마지막 교향곡 9번 <더 그레이트The Great>를 작곡했을 때 겨우 29세였는데 베토벤은 30세에 교향곡 1번을 작곡했습니다. 슈베르트의 널리 알려진 곡 중에는 그가 10대에 작곡했다고 믿기 힘든 실내악 작품들 피아노 퀸텟(5중주), 현악 4중주 등이 있습니다. 또한 그의 피아노곡 중 8개의 <즉흥곡Impromptus>, 6개의 <악흥의 순간Moments Musicaux>과 후기소나타들에서 나타난 감성적인 선율과 풍부한 조성은 슈만, 브람스 등 낭만 시대 작곡가들에게 많은 영감을 주었습니다.

영국의 철학자 로저 스크러턴(Roger Scruton) 경은 슈베르트의 멜로디에는 인생의 모든 부분이 담긴 것 같다며 “그는 삶의 보금자리의 기쁨과 상실을 노래하는 시인으로, 사랑하고, 정착하고, 비통해하는 인생의 모든 뉘앙스를 표현해 냅니다."라고 말했습니다.

슈베르트는 예술가의 고귀한 정신을 강조한 베토벤을 지극히 존경하여 자신도 귀족의 비위를 맞추거나 출세에 연연하지 않고 예술가들과 친구들과 어울리며 연주를 즐기면서 가난하게 살았습니다. 슈베르트를 좋아하는 친구들과 애호가들은 '슈베르티아데'라는 작은 모임을 만들어서 그의 작품을 듣고 그를 지지하였습니다. 그래서 대부분 그의 음악은 콘서트홀이 아닌 집안에서 친구들과 함께 연주하고 듣는 목적으로 작곡되어 생전에 출판되지 못하고 19세기 말에 출판되었습니다.

슈베르트는 가곡의 왕이라고 불리는데, 그가 600여 개나 되는 엄청난 양의 가곡을 작곡했을 뿐만 아니라 가곡을 예술작품의 경지로 끌어올린 면에서 음악사적으로 높이 평가받고 있기 때문입니다. 그의 가곡은 시에 대한 깊은 이해가 담긴 감미로우면서도 변화무쌍한 멜로디와 반주의 사실적 묘사, 음악의 섬세한 표현에 있어서 타의 추종을 불허할 만큼 뛰어납니다. 인간의 내면세계를 진실하고 깊이 있게 표현하고 있고, 특히 수많은 아름다운 멜로디 못지않게 가곡의 가사에 담긴 감정과 분위기를 묘사하는 여러 가지 창의적이고 다양한 반주형태를 보여 주고 있습니다. 그는 대표적인 연가곡집인 <아름다운 물방앗간의 아가씨>와 <겨울 나그네>, <백조의 노래>에서 사랑, 상실, 죽음, 절망, 불안, 기쁨, 유쾌함 등 인간의 모든 감정을 묘사하고 있습니다. 슈베르트의 가곡에서는 피아노가 반주라기보다는 곡의 분위기를 이끌어야 하므로 성악가와 대등한 협주라고 할 수 있습니다.

『Touching Piano』 1권에서는 슈베르트의 서정성을 나타내는 곡들을 따뜻한 터치로 왼손과 오른손을 번갈아 노래하기도 하고 다양한 반주형태를 연주하기도 합니다. 슈베르트의 순수하고 자연스러운 멜로디를 즐기면서 그의 낭만성의 진가를 알 수 있는 다양한 음악적인 표현을 배울 수 있습니다. 또한 멜로디와 반주를 구분하여 연주하는 훈련을 할 수 있습니다. 반주는 어디까지나 멜로디를 감싸고 돋보이도록 하는 역할을 해야 합니다. 아무리 많은 음을 한꺼번에 치더라도 멜로디보다 커지지 않도록 귀를 훈련합니다.

음악은 감정을 전달하는 어떤 형식과 구조를 가진 소리의 예술이기에 감정이 없는 음악은 그냥 소리입니다. 음악에 대한 지식 없이 음악을 해석하기란 쉽지 않지만, 음악에서 느끼는 감정은 무의식에서 일어나는 일이므로 지식이 없는 사람도 느낄 수 있습니다. 그렇다면 곡마다 가지고 있는 고유의 느낌을 어떻게 연주해야 할까요? 이제 한 곡 한 곡 여행을 떠나 봅니다.

Table of Contents

Heidenröslein, D. 257

들장미

1815년에 작곡했으며, 아버지의 학교에서 교사로 재직하던 중 1771년 요한 볼프강 폰 괴테가 쓴 시 「들장미」를 보고 곡을 붙인 가곡입니다. G장조 3절로 되어 있으며 모두 같은 멜로디 선율과 같은 반주가 붙어 있습니다. 순박한 어린이의 정서가 담겨 있으며, 단순하고 꾸밈없는 소박한 곡입니다. 가곡 <마왕>과 같은 시기에 작곡되었지만 두 곡의 성격은 매우 대조적입니다.

『Touching Piano』에서는 이 곡을 C장조로 이조하였습니다. 유절가곡이므로 한 절만 짧게 연주하지만, 의외로 다양한 음악적 터치를 배울 수 있는 유용한 곡입니다. 시를 읽고 그 느낌을 자연스럽게 노래할 수 있을 때까지 여러 번 반복하여 연습해 봅니다.

가곡

Sah ein Knab'ein Röslein stehn,	한 소년이 장미꽃을 보았네
Röslein auf der Heiden,	홀로 들에 핀 장미꽃
War so jung und morgenschön,	싱싱하고 아침 햇살처럼 아름답네
Lief er schnell, es nah zu sehn,	소년은 더 가까이 달려가
Sah's mit vielen Freuden.	아주 기쁜 마음으로 바라보았네
Röslein, Röslein, Röslein rot,	장미꽃, 장미꽃, 붉은 장미꽃
Röslein auf der Heiden.	홀로 들에 핀 장미꽃

Teaching Point.

1) 리듬

- 2/4 박자 안에서 강박과 약박을 느끼면서 연주합니다.
- 8분음표와 16분음표의 차이를 정확히 지키고 고르게 연주합니다.
- 붓점도 길고 짧음이 명확하도록 연주합니다.

2) 아티큘레이션

- 스타카토: 스타카토의 종류는 여러 가지이지만, 1번에서는 손끝을 이용한 스타카토로 가볍게 연주합니다(예를 들어 1, 3마디의 오른손). 왼손은 지속적으로 가벼운 터치의 스타카토로 연주합니다.
- 슬러: 두 번째 집중할 부분은 슬러입니다. 슬러는 레가토를 준비하는 가장 기본적인 두음 슬러부터 시작합니다(2, 6, 8마디). 슬러는 두 개 또는 그 이상의 음들을 부드럽게 연결하는 아티큘레이션인데, 두음일 경우 첫음과 두 번째 음을 연결할 때 첫음에는 무게가 실리고 두 번째 음에서는 무게를 끌어올리듯 손목을 올려 줍니다. 슬러가 나오는 부분마다 손목을 내렸다 올렸다 하는 다운업(down up) 동작을 반복합니다. 앞으로 나올 슬러들은 두음 이상인 경우도 많습니다. 9, 14마디의 경우는 네음 슬러인데 손목과 팔꿈치와 연결되는 한 번의 움직임으로 연주하여(손목 rotation) 음들이 끊어지지 않도록 합니다. 슬러는 한 동작으로 음들을 연결하는 것으로 현악 연주의 보잉과 같다고 생각하면 됩니다. (강의 영상 아티큘레이션 참고)
- 페르마타(fermata): 4분음표보다 두 배가량 더 길게 연주합니다. 왼손도 8분음표를 점점 느리게 연주하며 자연스럽게 페르마타에서 멈춥니다(12마디).

3) 도전

- 장식음: 양손 같이 치면서 장식음을 쳐봅니다. 장식음은 슬러를 아주 짧게 하는 것입니다. 가볍게 보잉을 상상하며 한 번의 팔꿈치 움직임으로 처리합니다(15마디).
- 전체적으로 밝고 경쾌하지만 딱딱한 소리가 나지 않도록 손목을 유연하게 사용합니다(특히 턴처럼 연주하는 9-10마디에서).
- 탄력 있는 손목의 유지를 위해 같은 음을 칠 때도 손가락 번호를 바꿉니다. 제안된 번호를 참고하세요(1, 5마디).

Heidenröslein

들장미 Heidenröslein

https://youtu.be/0oeJnl8x-70

Ave Maria, D. 839

아베 마리아

1825년에 작곡된 곡으로 월터 스콧(Walter Scott)의 시집 <호수의 여인> 중 6번째 시 <엘렌의 노래>에 곡을 붙인 가곡입니다. B♭장조로 4/4박자로 구성되어 있으며, 소녀 엘렌이 아버지의 죄가 용서되기를 호반의 마리아상에게 기도하는 내용입니다.

『Touching Piano』에서는 이 곡을 C장조로 이조하였으며, 원곡의 피아노 반주부 리듬 음형을 단순하게 화성화시켜서 오른손의 셋잇단 리듬과 아름다운 선율의 레가토를 잘 표현할 수 있도록 편곡하였습니다.

가곡

Ave Maria! Jungfrau mild,
Erhöre einer Jungfrau Flehen,
Aus diesem Felsen starr und wild
Soll mein Gebet zu dir hinwehen.
Wir schlafen sicher bis zum Morgen,
Ob Menschen noch so grausam sind.
O Jungfrau, sieh der Jungfrau Sorgen,
O Mutter, hör ein bittend Kind!
Ave Maria!

아베 마리아, 성모마리아여
소녀의 기도를 들어주소서.
험하고 거친 이 바위에서
제 기도가 당신에게 닿아서
아침까지 우리가 평안히 잠들기를.
적들은 여전히 잔인하지만
오 성모마리아여, 소녀의 근심을 들으시고
소녀의 간청을 들어주소서!
아베 마리아!

Teaching Point.

1) 따뜻한 터치

- 따뜻한 느낌으로 부드럽고 깊은 터치와 가볍고 호소하는듯한 터치를 연습합니다.
- 멜로디를 담당하는 각각의 음은 매번 부드럽고 깊은 소리를 냅니다.
- 지속적인 화음(코드, chord) 반주: 왼손은 임시표가 많지만 느린 속도로 움직이므로 화성 진행을 생각하며 매 화음 손목의 힘을 빼고 주는 동작을 반복하면서 부드러운 소리들이 잘 연결되도록 연주합니다. 건반을 쓸어 주듯 연주합니다. (강의 영상 따뜻한 터치 참고)

2) 리듬

- 왼손은 4분음표가 계속 진행되지만, 오른손에서는 온음표, 점2분음표, 8분음표, 16분음표 등 다양한 음표의 길이를 지켜 봅니다. 그리고 셋잇단음표, 붓점 등이 지속적으로 나옵니다. 특히 셋잇단음표를 노래하면서 고르게 연주하는 것을 집중해서 연습해 봅니다(8, 10, 11마디 등).
- 쉼표를 정확히 지켜서 긴장감을 살리며 연주합니다(24-25마디).

3) 아티큘레이션

- 느리고 긴 음들을 연주해야 하므로 긴 호흡이 필요합니다. 이럴 때 목소리로 노래를 한번 해보는 것도 도움이 됩니다. 음이 잘 연결되도록 손목은 항상 유연함을 유지하며 잔잔하게 움직여 줍니다. (강의 영상 손목 참고)
- 프레이즈(phrase)의 마무리는 음의 길이를 충분히 채우고 항상 슬러(slur)의 마무리처럼 손목을 들어 올리며 마칩니다(3, 5, 7, 9, 12, 14, 16, 18마디 등).

Ave Maria

아베 마리아 Ave Maria

https://youtu.be/RGHeYH6aGaQ

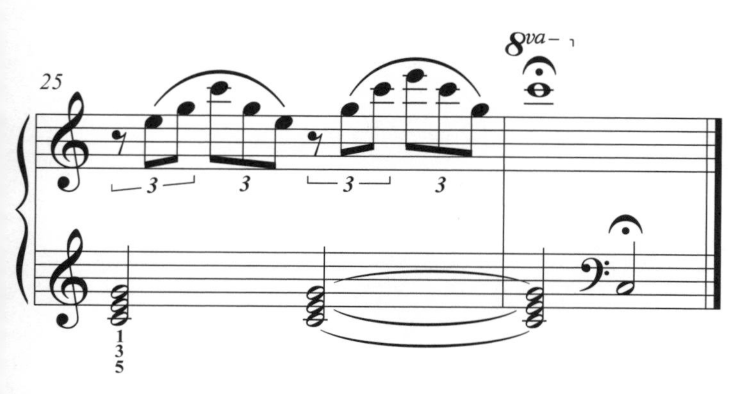

String Quartet No. 13, Rosamunde, D. 804, II. Andante

현악 4중주 13번 로자문데 2악장

현악 4중주는 제1바이올린, 제2바이올린, 비올라, 첼로 등 네 명의 연주자가 연주하는 곡으로 보통 4악장으로 이루어져 있습니다. 하이든의 현악 4중주를 시작으로 모차르트, 베토벤 모두 현악 4중주곡을 많이 작곡하였고 교향곡에 버금가는 주요한 레퍼토리로 자리 잡게 되었습니다.

슈베르트는 15곡의 현악 4중주곡을 작곡하였는데 13번 <로자문데>와 14번 <죽음과 소녀>가 가장 유명합니다. 13번 로자문데는 1823년에 작곡된 곡으로 희곡 『키프로스의 여왕 로자문데』의 상연을 위한 부수 음악 중 하나이며, 섬세하고 로맨틱함을 보여 주며 이 선율은 훗날 피아노를 위한 즉흥곡 D. 935의 주제로 사용되기도 하였습니다. 슈판치히(Ignaz Schuppanzigh)에게 헌정되고, 1824년 3월 빈 악우협회에서 초연이 이루어졌으며 슈베르트 생전에 전곡이 연주된 유일한 곡입니다.

『Touching Piano』에서는 이 악곡의 2악장 주제 선율을 C장조로 편곡하였습니다.

전형적인 고전 시대 음악의 유형인 멜로디와 반주부의 구성으로 보이지만, 사실 왼손 베이스들은 원곡의 첼로 선율을 바탕으로 한 것으로서, '오른손-왼손'의 대위적인 진행(주된 선율에 대해서 동시에 연주되는 다른 선율이 있는 음악을 뜻함)을 이해해 봅니다. 동시에 원곡의 악기 편성인 현악 4중주의 어우러짐을 피아노 안에서 어떻게 표현해 낼까를 생각하며 연주한다면 더할 나위 없이 좋은 공부가 될 것입니다.

Teaching Point.

1) 따뜻한 터치

- 알베르티 베이스(Alberti bass)로 반주할 때 화음 단위로 네 손가락 모두 쳐야 할 위치에서 미리 준비하여 갑자기 딱딱하거나 큰 소리가 나는 것을 주의합니다.
- 원곡의 소리의 어우러짐을 떠올리며 손끝의 살이 많은 부분을 이용해서 건반을 훑듯이(브러싱, brushing) 치면서 따뜻한 소리를 내봅니다. (강의 영상 따뜻한 터치 참고)

2) 아티큘레이션

- 슬러 스타카토: 가장 앞부분에 등장하는 슬러 스타카토는 1번 <들장미>의 스타카토보다 길게, 부드럽게 끊어 치는 것입니다. 즉, 손끝으로 음을 끊되 손목은 부드럽게 팔은 고른 속도로 움직여 음이 음악적으로 연결되도록 합니다. 현악기에서 활이 스트링에서 부드럽게 떨어지는 것처럼 건반을 쓸어 주면서 손목을 올립니다. (강의 영상 아티큘레이션 참고)
- 레가토: 각각의 음은 깊이 있는 소리로 긴 슬러를 연주합니다(왼손 전체와 오른손 2, 6, 11, 17-20마디).

3) 도전: 음악적 표현

- 장단조 변화: 단조가 나오는 부분(11-12마디)은 슬픈 듯이 어둡고 부드럽게 연주해 봅니다.
- 왼손의 음형이 지속적으로 변화하므로 미리 왼손을 연습합니다. 왼손도 반주이지만 노래하듯 선율을 만들며 부드럽고 따뜻한 소리로 연주합니다. 특히 11-12마디의 윗선율과 17-20마디의 아랫선율을 연결해서 들어 보면 더 풍성한 연주를 할 수 있습니다. (악보에 그려진 점선 동그라미 참고)

Rosamunde

로자문데 Rosamunde [String Quartet No.13]
https://youtu.be/CFS8sEOw_vk

Winterreise, D. 911,
V. Der Lindenbaum

겨울 나그네 5번 보리수

슈베르트의 가곡집 <겨울 나그네> 가운데 제5곡인 <보리수>는 실연에 빠진 젊은이가 눈보라 치는 겨울에 절망하며 방황하는 모습을 그린 빌헬름 뮐러의 시에 곡을 붙여 1827년에 작곡된 곡입니다. 이 곡은 민요풍의 선율이 장조에서 시작하여 단조로 바뀌며 처연한 마음을 표현하고 있고, 폭풍, 나뭇잎의 움직임 등을 음악적으로 표현한, 묘사적 기법이 사용된 곡입니다.

『Touching Piano』에서는 이 곡의 1절과 2절을 가지고 C장조-C단조의 조성으로 편곡하였습니다. 전주와 간주부에서 시의 의미를 이해하고 이 곡을 연주한다면 더욱 표현력 있게 들릴 것입니다.

가곡

Am Brunnen vor dem Tore
Da steht ein Lindenbaum;
Ich träumt' in seinem Schatten
So manchen süßen Traum.
Ich schnitt in seine Rinde
So manches liebe Wort;
Es zog in Freud' und Leide
Zu ihm mich immer fort.

성문 앞 우물가에
보리수 한 그루 서 있네.
나는 그 그늘에서
단꿈을 꾸었네.
가지에 희망의 말
새겨 놓고서
기쁠 때나 슬플 때나
찾아온 나무 밑.

Ich mußt' auch heute wandern
Vorbei in tiefer Nacht,
Da hab' ich noch im Dunkel
Die Augen zugemacht.
Und seine Zweige rauschten,
Als riefen sie mir zu:
'Komm her zu mir, Geselle,
Hier findst du deine Ruh'!

오늘도 깊은 밤
그 보리수 곁으로 갔네.
깜깜한 어둠 속에서
눈감아 보았네.
가지는 산들 흔들려
내게 말하는 것 같네.
'이리 내 곁으로 와서
안식을 찾으라'고.

Der Lindenbaum

보리수 Der Lindenbaum

https://youtu.be/XV48lQ8p0io

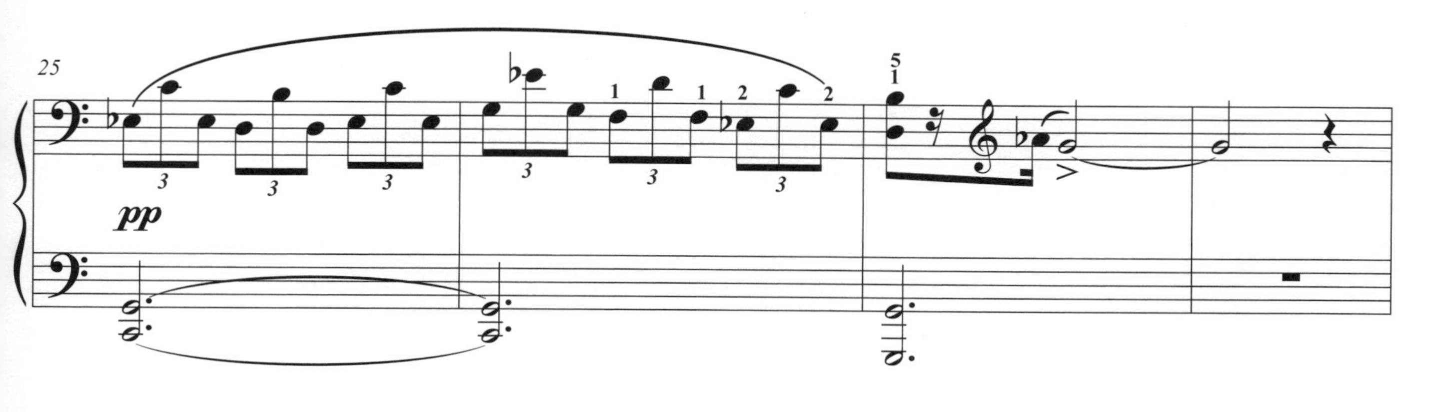

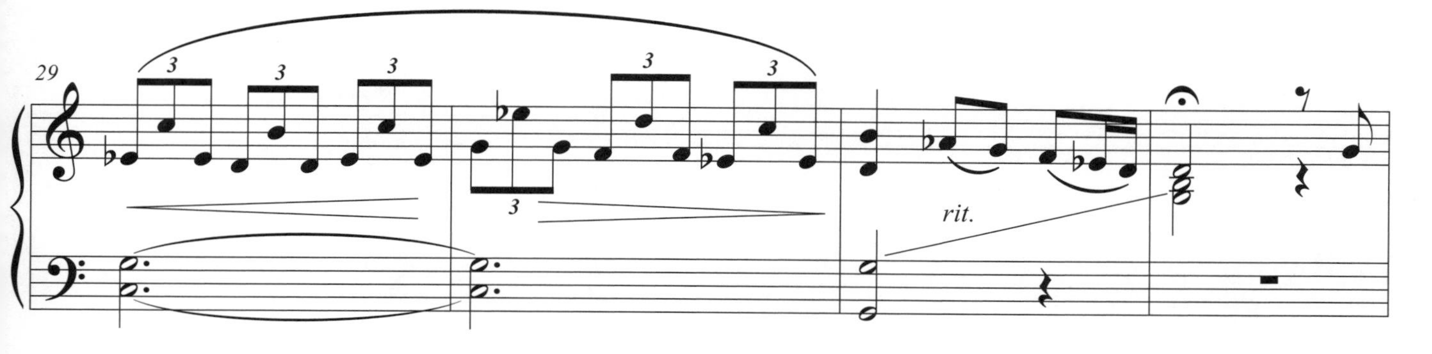

33
a tempo
37
41
45

Teaching Point.

1) 따뜻한 터치

- 전체적으로 부드럽고 애절한 느낌으로 터치합니다.

2) 리듬

- 전주와 간주 부분의 셋잇단음표는 이리저리 흔들리는 나뭇가지처럼 표현되고 있습니다. 셋잇단음표들을 고르게 치면서 감정을 담아서 연주합니다(1-2, 5-6, 25-26, 29-30마디).
- 붓점: 여러 형태가 등장합니다. 점4분음표와 8분음표(9, 13마디), 점4분음표와 셋잇단음표(11, 15마디), 점8분음표와 16분음표(18마디), 점8분음표와 32분음표 2개(20, 44마디), 8분음표와 16분쉼표와 16분음표(3, 27마디).
- 쉼표를 잘 지켜 줍니다. 특히 10, 14, 20, 22, 34, 38, 44, 46마디 등 왼손의 4분쉼표들은 약박으로 시작하는 프레이즈를 명확히 살려 주는 역할을 하므로 더욱 정확히 지킵니다.

3) 아티큘레이션

- 레가토: 노래가 나오는 부분은 슬러 스타카토(9마디)와 슬러(10마디), 그리고 레가토로 구성되어 있습니다(11-12마디).
- 왼손도 최대한 연결하여 레가토로 연주합니다(예를 들어 11-12마디, 15-16마디).
- 페르마타: 리타르단도(속도를 점점 느리게)에 맞춰 음의 길이를 충분히 늘여 줍니다(8, 32마디).

4) 도전

- 음역의 변화에 따른 몸통의 중심 이동 연습: 팔꿈치와 어깨가 원활히 움직이도록 합니다. (강의 영상 어깨 참조)
- 템포의 변화 있습니다. 리타르단도(ritardando)와 페르마타를 연주해 봅니다.
- 조성의 변화: 선율이 단조로 변하면 건반을 좀 더 느린 속도로 누르듯이 치면서 분위기를 어둡게 바꿔 보세요(25-40마디).
- 왼손의 도약은 부드럽고 여유 있게 아치 모양을 그리며 우아하게 합니다(33-35, 37-39마디).
- 32분음표는 날카롭게 들리지 않도록 손끝에 무게를 주어 연주합니다(20, 44마디).

Die Forelle, D. 550

송어

1817년 작곡된 가곡으로 크리스티안 프리드리히 다니엘 슈바르트의 시를 가사로 삼아 작곡하였으며, 원래의 시는 4절 구성이나, 슈베르트는 3절까지만 곡을 붙였습니다. 마치 거울 같은 맑은 강에서 뛰어노는 송어의 모습을 그린 멜로디가 그 물가의 풍경을 그림 그리듯 보여 줍니다. 슈베르트는 2년 후인 1819년 22세에 4악장으로 구성된 피아노 5중주곡을 마치 <방랑자 환상곡> 2악장처럼 4악장에 가곡 <송어>의 선율을 주제 삼아 변주곡으로 작곡했습니다. 이 피아노 5중주는 편성이 특이합니다. 보통 피아노 퀸텟에 들어가는 제2바이올린 대신에 이 곡에서는 더블베이스가 들어가 피아노, 바이올린, 비올라, 첼로, 더블베이스로 구성되었습니다.

가곡

In einem Bächlein helle, da schoß in froher Eil
Die launische Forelle vorüber wie ein Pfeil.
Ich stand an dem Gestade und sah in süßer Ruh
Des muntern Fischleins Bade im klaren Bächlein zu

반짝이는 개울 속으로 기쁜 마음에 빠르게
낚싯대를 던졌네
변덕스러운 송어 한 마리가 화살처럼 피했네.
나는 그 물가에 서서 평화롭게 바라보았네
깨끗한 개울에서 헤엄치는 활기찬 송어를.

『Touching Piano』는 강물에서 쏜살같이 노닐고 있는 송어의 모습을 셋잇단음표의 아르페지오 음형을 위주로 표현하였습니다.
원곡과는 조금 다른 『Touching Piano』의 <송어>를 경쾌하고 운동감 있게 연주해 보세요.

『Touching Piano』에서는 처음으로 조표가 등장하는 곡입니다. 라장조에서 연주되는 검은 건반의 위치에 익숙해지기 위해 먼저 스케일과 아르페지오를 연습해 봅니다.

라장조(D Major)

Die Forelle

송어 Die Forelle

https://youtu.be/P1RbYklVJSc

Teaching Point.

1) 리듬

- 셋잇단음표: 전체적으로 나오는 셋잇단음표를 고르게 연주하는 훈련입니다.
- 붓점은 길고 짧음을 더 명확하게 연주합니다(7, 19, 23, 27마디).

2) 아티큘레이션

- 스타카토: 경쾌한 느낌으로 손끝 스타카토로 연주합니다.
- 슬러: 손목의 다운 업을 기억합니다(5-6, 9-10, 21, 25마디 등).
- 레가토: 왼손이 멜로디를 연주할 때 최대한 깊이 있는 레가토로 연주합니다. 잘 안 되면 오른손으로 연주해 보고 기억하면서 다시 왼손으로 합니다(13-16마디).

3) 도전

- 아르페지오(arpeggio): 양손 모두 아르페지오를 고르게 연주할 수 있도록 집중적으로 훈련하는 곡입니다.
- 스케일이나 아르페지오를 연주할 때 가장 주의할 점은 손등의 무게중심을 고르게 이동시키는 부분입니다. 손가락의 길이와 무게가 다르므로 아무리 같은 속도로 치더라도 손가락만 움직여서는 고른 소리를 내기 불가능합니다. 대신 손목을 이용해서 손등의 무게를 이동시키면서 손가락의 길이를 건반에 맞춰 준다고 생각하며 연주하면 고른 소리가 납니다. 특히 빠른 음들을 칠 때는 손바닥의 근육을 이용해서 친다고 생각하면 단단하고 고른 소리를 낼 수 있습니다. (강의 영상 손목 참고)
- 아르페지오 속에 숨어 있는 멜로디들을 찾아서 잘 들리도록 연주합니다. 이때 엄지손가락을 미리 준비하고 멜로디를 다른 음들보다 크게 치는 것보다 길게 연주하는 것이 중요합니다(21-22, 25-26마디). (강의 영상 손 참고)

Symphony No. 8 in b minor, D. 759, ‘Unfinished’ I. Allegro moderato

교향곡 8번 나단조 미완성교향곡

슈베르트가 남긴 9개의 교향곡 중 가장 유명한 곡으로 손꼽히는 이 곡은 25세인 1822년 작곡한 곡으로, 1악장과 2악장은 완성되었으나 3악장은 20마디까지만 관현악 편성작업을 한 채로 작곡이 중단되었습니다. 교향곡은 기악곡의 대표적인 형태로 오케스트라가 연주하는 대규모의 소나타입니다. 보통 4악장으로 구성되지만, 베토벤의 <전원교향곡>이나 베를리오즈의 <환상교향곡>처럼 5악장으로 구성된 것도 있습니다. 이 곡은 2개의 악장으로만 되어 있어 <미완성교향곡>으로 불리지만, 완성도 높은 구성과 아름다운 멜로디가 풍부하여 슈베르트의 서정성과 천재적 음악성을 잘 보여 주는 대표작으로 인정받고 있습니다.

『Touching Piano』에서는 8번 교향곡 제1악장의 제2주제를 가지고 양손의 독립적인 움직임을 훈련하고자 합니다. 익숙한 오른손 멜로디가 왼손으로 이동하였을 때, 오른손의 당김음 리듬은 살리면서 왼손의 진행을 잘 표현하는 것이 중요합니다.

고전 시대의 대표적 형식인 소나타의 1 주제와 2 주제는 대조적인 성격을 보이는데, 보통 1 주제가 장조일 때 2 주제는 5 도 위인 딸림조로, 1 주제가 단조일 때는 3 도 위의 장조인 나란한조로 나타나는 경향을 보입니다. 낭만 시대에는 조성의 선택이 보다 자유로워져서, 이 교향곡에서는 2 주제에 3 도 관계조인 사장조가 사용되었습니다.

사장조(G Major)

Symphony No. 8

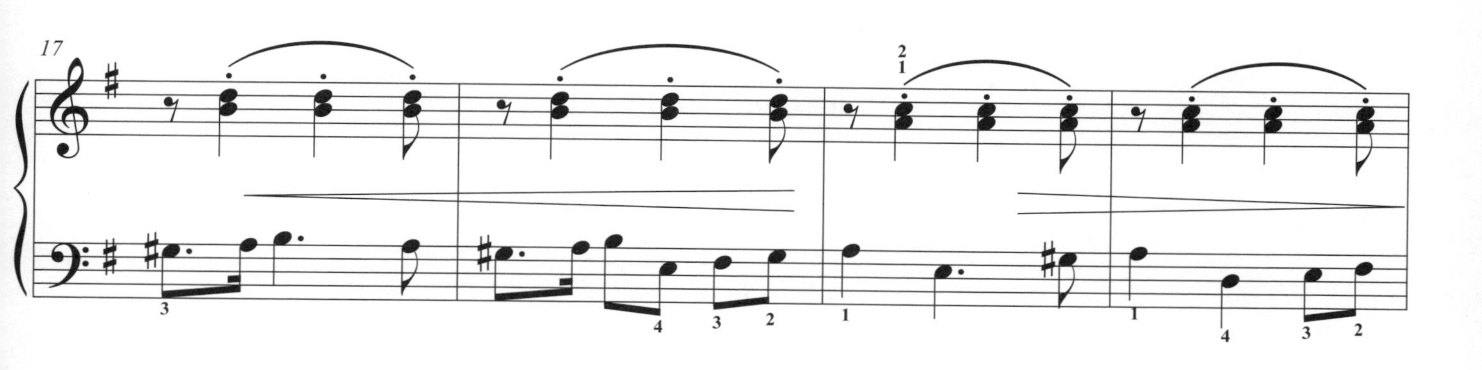

cresc.
f

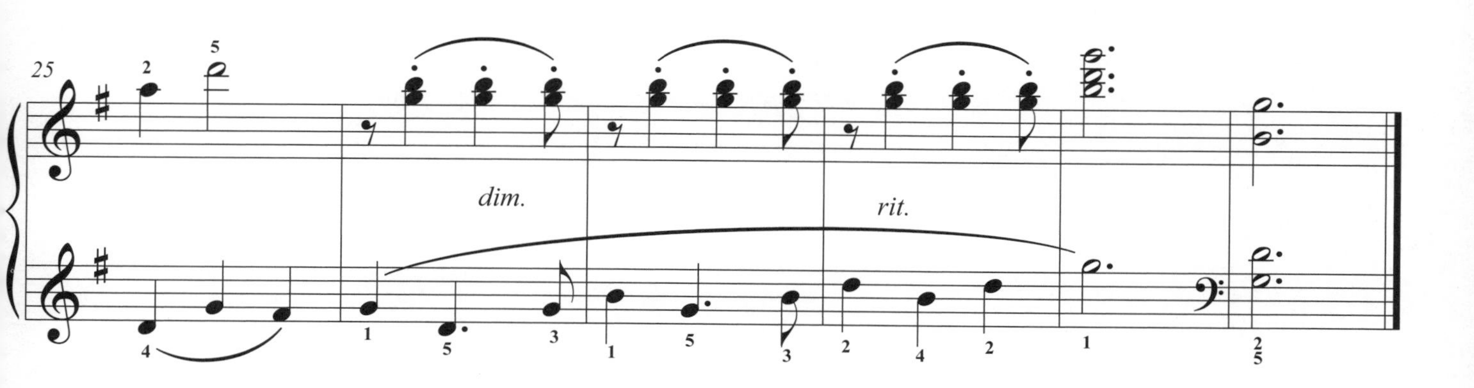
dim.
rit.

Teaching Point.

1) 리듬

- 싱코페이션(syncopation)이 나오는 부분만 먼저 따로 연습해 봅니다. 왼손의 지속적인 싱코페이션을 연주하다 12마디부터 이어서 나오는 오른손의 싱코페이션을 익히고 다시 21마디부터 왼손을 연습합니다.
- 싱코페이션과 붓점이 같이 나올 때 양손이 함께 박을 맞춰 연주하도록 연습합니다.

2) 아티큘레이션

- 슬러 스타카토: 곡의 처음부터 끝까지 싱코페이션으로 연주하며 부드럽게 연결하듯이 스타카토로 연주합니다.
- 레가토: 멜로디 부분을 최대한 깊이 있는 소리로 연결해서 연주해 봅니다.

3) 도전

- 오른손과 왼손이 멜로디를 주고받습니다. 12마디부터 20마디까지 왼손이 멜로디입니다. 다시 21마디부터 오른손이 멜로디를 연주하다 26마디부터 다시 왼손이 멜로디를 연주하며 마무리합니다. 멜로디 부분은 레가토로 연주하면서 끝까지 집중하여 음색이 계속 연결되는 것을 연습합니다.
- 전체적으로 싱코페이션을 연주하면서 멜로디도 아름답게 프레이징하려면 독립적으로 이루어지는 양손의 연주에 동시에 집중하는 훈련을 해야 합니다.

Touching Piano with Schubert.

An die Musik, D. 547

음악에게

슈베르트가 20살 때인 1817년 작곡한 이 곡은 음악에 보내는 편지 형식으로 슈베르트의 친구이자 후원자인 쇼퍼(F.Shober)의 시에 곡을 붙였습니다. 이 곡은 다른 가곡들과 달리 단순한 멜로디와 반주로 구성된 곡으로 초라한 느낌이 들 수 있지만 들으면 들을수록 단순함에서 나오는 아름다움을 느낄 수 있는 곡입니다.

『Touching Piano』는 원래 D장조인 곡을 C장조로 이조하였으며, 유절가곡으로 1절만 연주합니다. <로자문데>에서 연습한 것처럼, 이 곡에서도 오른손과 왼손의 대위적 진행을 생각하며, 두 성부 간의 아름다운 울림이 있도록 표현해 보세요. (악보에 그려진 점선 동그라미 참고)

가곡

Du holde Kunst, in wieviel grauen Stunden,
Wo mich des Lebens wilder Kreis umstrickt,
Hast du mein Herz zu warmer Lieb' entzunden,
Hast mich in eine bessre Welt entrückt!

사랑하는 예술이여,
그 얼마나 암울한 시간 속에서,
수많은 인생의 굴곡에 휩싸였을 때,
당신은 따뜻한 사랑으로 내 마음을 불태우고
나를 더 나은 세상으로 이끌어 주었던가!

Teaching Point.

1) 리듬

- 2/2 박자이므로 너무 느리지 않게 연주합니다.
- 8분음표들이 고르게 연주되는 것에 주의하며 연주합니다. 하지만 부드럽고 음악적으로 들려야 합니다.
- 코다(coda)에서 왼손의 쉼표를 정확히 지켜 싱코페이션의 리듬감을 살려 봅니다(17마디부터 끝까지).

2) 아티큘레이션

- 오른손의 아름다운 멜로디를 최대한 레가토로 쳐봅니다.
- 왼손의 반주는 모두 분산화음(아르페지오, arpeggio)으로 슬러로 부드럽게 연주합니다. 역시 브러싱하듯이 건반을 안쪽에서 내 몸쪽을 향해 끌어오듯 연주하여 소리가 커지지 않도록 주의합니다.

3) 도전

- 몸통의 중심 이동이 있으니 어깨의 방향 전환을 준비합니다. 몸의 무게중심을 잘 조절해 봅니다. 오른팔이 교차되는 동안 왼손이 고르게 잘 들리도록 주의하며 연주합니다(8마디).
- 왼손의 아르페지오가 일정한 패턴이 아니어서 양손을 따로 연습한 후에 같이 치는 것을 추천합니다. 왼손의 반주에도 멜로디가 있으니 멜로디들이 서로 연결되도록 들으면서 연주합니다. 왼손의 엄지에 있는 멜로디를 들어 봅니다(9-12마디). 베이스의 멜로디 라인을 들으려면 아르페지오의 첫소리들만 연주해 봅니다(5-8마디, 13-15마디).
- 연타: 짧은 부분이지만 연속음 연주를 익혀 봅니다. 앞에서 배운 슬러 스타카토와 같은 느낌으로 손목을 반복적으로 사용하여 부드러운 소리를 냅니다. 좋은 톤을 유지하기 위해 같은 음이 반복될 때는 손가락 번호를 바꾸며 연주하는 것을 권합니다.
- fp(포르테 피아노, forte piano) 부분은 강하게 터치한 후 음량이 변화하는 시간을 귀로 들으며 연주합니다.

An die Musik

안디무지크 An die Musik
https://youtu.be/_BkdPENVbIY

Schwanengesang, D. 957, IV. Ständchen

백조의 노래 4번 세레나데

연가곡집 <백조의 노래> 중 4번째 곡으로, 19세기 독일 시인 루드비히 렐슈타프의 시에 1828년 8월에 슈베르트가 곡을 붙인 것입니다. 연인을 향해 밤에 부르는 노래 '세레나데'는 사랑스러운 느낌의 곡이 많지만, 이 곡은 우울하면서도 감미로운 선율을 가졌습니다. <백조의 노래>는 1828년 작곡된 14곡의 가곡을 모은 연가곡집으로, 같은 해 11월 19일에 슈베르트가 세상을 떠난 후 유작으로 출판된 것으로도 잘 알려져 있습니다.

『Touching Piano』는 원곡의 반복 부분을 생략하였고, 몸통을 움직여 왼손과 오른손 간의 음역을 교차시키는 연습에 중점을 두어 편곡하였습니다. 같은으뜸음조인 장단조의 변화를 표현하는 것과 25마디부터 이어지는 오른손과 왼손의 캐논, 모방 등의 요소들도 잘 이해하고 연주하시기 바랍니다.

가곡.

Leise flehen meine Lieder
Durch die Nacht zu Dir;
In den stillen Hain hernieder,
Liebchen, komm' zu mir!

부드럽게 전해 다오 나의 노래여
밤새도록 그대에게로
고요한 작은 숲 아래로
연인이여 나에게 와주오!

Flüsternd schlanke Wipfel rauschen
In des Mondes Licht;
Des Verräthers feindlich Lauschen
Fürchte, Holde, nicht.

가느다란 나무 꼭대기가 살랑이며
속삭이네, 달빛 속에서
누가 우리를 엿듣는다고
나의 사랑, 두려워하지 마오.

Hörst die Nachtigallen schlagen?
Ach! sie flehen Dich,
Mit der Töne süßen Klagen
Flehen sie für mich.

저 밤꾀꼬리의 울음소리가 들리시오?
아! 그대에게 간청하고 있어요
감미롭고 애처로운 노래로
나에게도 간청하고 있어요.

라단조(D minor)

Ständchen

세레나데 Ständchen
https://youtu.be/n8eaNplRRwM

33
p
f
dim.

38
p
dim.
pp

Teaching Point.

1) 백조의 날갯짓같이 따뜻하고 부드러운 터치

- 멜로디가 나오는 곳마다 손끝에 무게를 좀 더 실어서 깊이 있게 터치합니다.
- 반주에 해당하는 부분은 깃털같이 쓸어 주며 연주합니다(예를 들어 왼손 1-3마디).

2) 리듬

- 3/4 박자에서 고른 4분음표와 8분음표가 기준이 되고 지속적으로 나오는 붓점과 셋잇단음표가 곡의 분위기를 흥미롭게 살려 주도록 연주합니다.
- 셋잇단음표를 부드럽게 연주하되 고르게 하는 것이 중요합니다(1-3마디).
- 붓점을 더 길고 짧게 명확히 연주합니다(13-14, 19-20, 25-27, 30-32마디).

3) 아티큘레이션

- 레가토: 양손 모두 레가토로 멜로디를 주고받으며 연주합니다. 가사를 보면서 레가토와 프레이징을 생각해 봅니다.
- 슬러: 왼손에 두음 슬러가 집중적으로 나옵니다. 반드시 손목의 움직임을 가지고 표현합니다(4, 6, 10, 12, 16, 22, 28, 36-39마디).
- 악센트를 지켜서 연주해 봅니다(3, 5, 23, 25, 26, 29, 35마디).
- 테누토가 슬러를 더 강조합니다(4, 6마디).

4) 도전

- 왼손과 오른손이 교차하여 연주하는 부분이 많습니다. 연주할 방향으로 어깨를 미리 부드럽게 움직입니다(1-4마디).
- 양손의 멜로디가 교차할 때 음색이 변하지 않고 고른 톤을 유지하며 리듬도 흔들리지 않도록 주의하여 연주합니다(7-8, 25-26마디).
- 음을 누른 상태에서 손가락 번호를 바꿔 봅니다(9마디).

Moments Musicaux, D. 780, III. Allegro moderato in f minor

악흥의 순간

<악흥의 순간>은 솔로 피아노를 위한 6개의 소품으로 1823년부터 1828년 사이에 작곡된 곡입니다. 그중에서 3번째 곡은 <악흥의 순간>에서도 가장 짧고 간결한 곡이며, 단조임에도 불구하고 흥겹고 경쾌하며 즉흥성이 넘치는 곡입니다. 1828년 봄, 2권의 형태로 빈에서 라이데스도르프에 의해 출판되었습니다.

『Touching Piano』는 이 곡을 원곡의 F단조에서 E단조로 이조하여 변화표의 어려움을 줄이고, 프레이징과 아티큘레이션을 최대한 살려 편곡하였습니다. 원곡을 듣고 난 후 분위기를 잘 살려서 연주해 봅니다.

마단조(E minor)

Teaching Point.

1) 리듬

- 싱코페이션: 기본리듬을 주로 4분음표와 8분음표로 편곡하여 심플하지만 멜로디는 귀에 쏙 들어옵니다. 그리고 곡의 분위기를 더욱 생기 있게 해주는 원곡의 싱코페이션을 그대로 다 살리고(8, 17, 32, 36, 40마디) 왼손도 첫 박에 있는 4분쉼표들을 넣어서 싱코페이션을 집중적으로 강조하는 편곡을 하였습니다(10-16마디 등).

2) 아티큘레이션

- 스타카토: 1번 곡 <들장미>와 같이 핑거 스타카토를 하며 경쾌하게 연주합니다.
- 슬러: 스타카토와 번갈아 전체적으로 나옵니다.
- 테누토: 4분음표들의 테누토를 강조하며 이어지는 쉼표를 정확하게 지킵니다(4, 6, 8, 10마디 등).
- 테누토 스타카토가 나옵니다. 테누토 스타카토는 팔로 스타카토를 합니다(9, 33, 53마디).

3) 도전

- 양손의 독립적인 리듬과 아티큘레이션을 동시에 연주하는 것을 도전해 봅니다. 왼손으로 지속적인 로테이션을 하면서 스타카토로 반주하므로 규칙적인 리듬감을 가져야 안정적인 연주를 할 수 있습니다. 동시에 오른손의 멜로디에 트릴과 턴의 음형을 가진 부분들을 연주해야 합니다. 음이 빠지지 않도록 고르게 연주합니다. 특히 이런 부분들은 먼저 양손을 따로 연습한 후에 같이 연주하는 것을 권합니다(9, 12, 13, 16, 24-25마디 등).
- 다이내믹의 변화를 잘 지켜서 잔잔하지만 흥미로운 구성이 있는 연주를 해봅니다.
- 마지막 부분 몸통의 중심 이동을 미리 준비하여 작은 소리로 마무리합니다(53-54마디).

Moments Musicaux No. 3

악흥의 순간 Moments Musicaux No. 3
https://youtu.be/3am9iP5lwVg

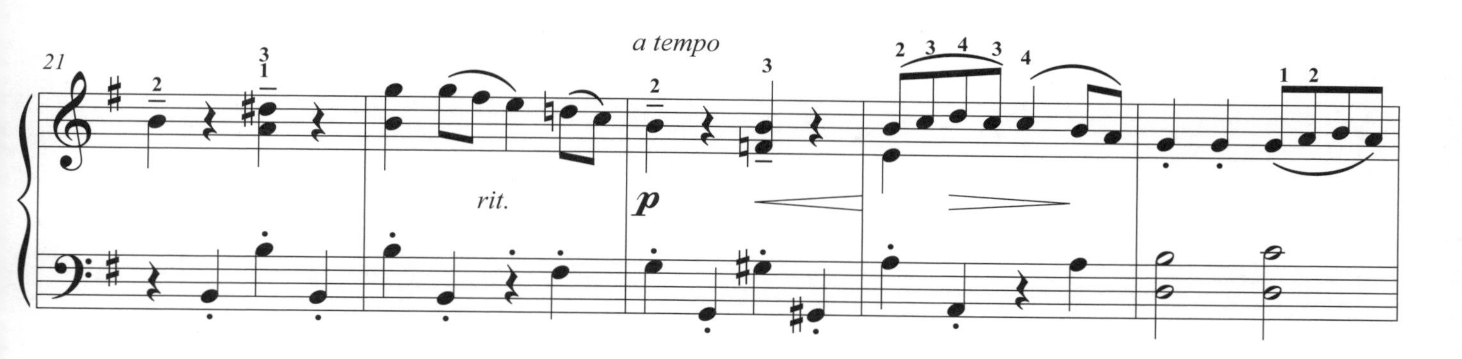

41
f
p

46
pp

51
dim.
rit.
ppp

Sonata for Arpeggione and Piano in a minor, D. 821

아르페지오네 소나타

아르페지오네는 겉모양은 기타처럼 현이 6개이지만 활로 연주되고 크기는 첼로와 비슷한 악기로, 1823년 빈에서 스타우퍼(J.G. Stauffer)의 제작으로 탄생하였습니다. 스타우퍼는 악기 홍보를 위해 슈베르트에게 작품을 위촉하였고 슈베르트는 이 곡을 1824년 11월에 완성하였습니다. 이 시기 슈베르트는 건강도 매우 좋지 않았고 우울한 시기였지만 이 소나타에는 슈베르트 특유의 서정성과 따뜻하고 우아한 멜로디가 가득합니다. 아르페지오네는 소리가 볼품없어서 10년도 못 가서 잊힌 악기가 되었다고 합니다. 하지만 이 아름다운 소나타는 남아서 오늘날에는 가장 대중적으로 사랑받고 연주가 많이 되는 첼로 소나타의 레퍼토리가 되었습니다.

『Touching Piano』의 10번은 1권에서 배운 부드러운 터치와 아티큘레이션과 리듬을 모두 적용해 볼 수 있는 좋은 연습곡입니다. 연주 길이가 길고 난도가 다소 높으므로 연주용으로 도전해 보면 좋을 것 같습니다.

가단조(A minor)

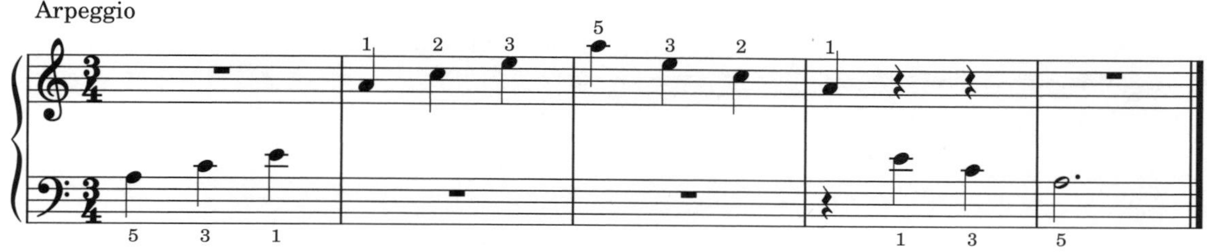

Arpeggione Sonata

아르페지오네 소나타 Arpeggione Sonata

https://youtu.be/NMZsErHvGf8

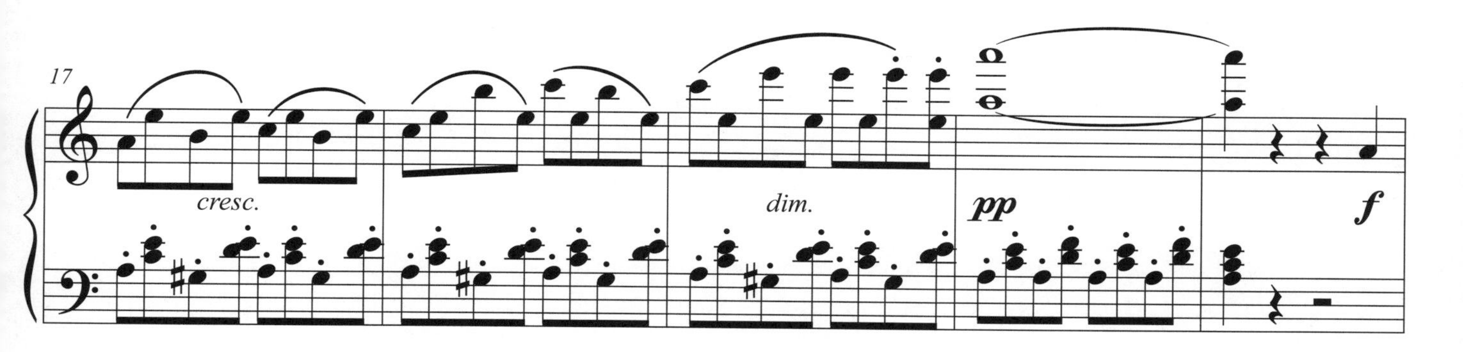

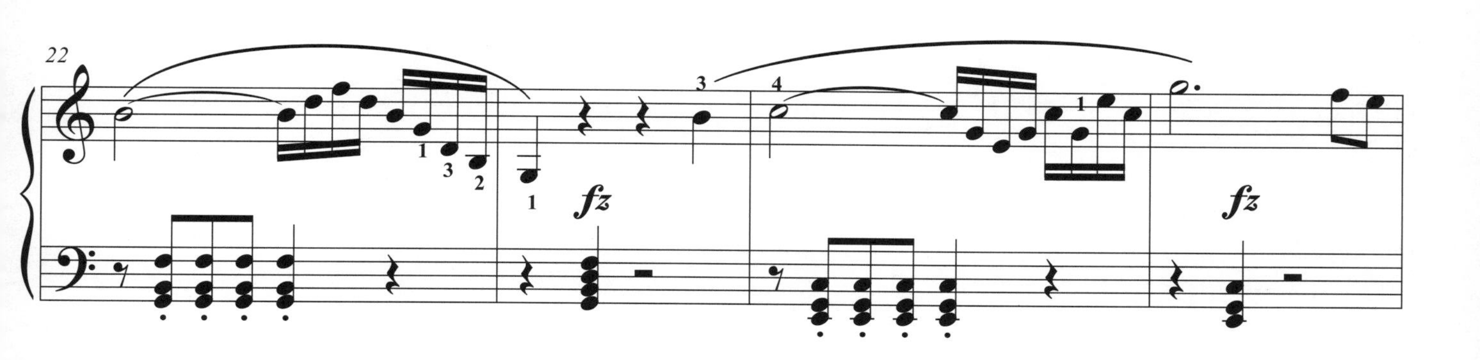

33
f
36
p
8va
39
cresc.
p
43

47
p
51
p
55
f
60
p
dim.
ff

Teaching Point.

1) 따뜻하고 가벼운 터치

- 전체적으로 따뜻하고 가볍게 터치하며 특히 왼손 코드 누를 때 부드럽게 연주합니다.
- 곡 전체에서 많이 나오는 아르페지오를 연주할 때 따뜻하고 고른 소리가 나도록 손목의 각도를 잘 조절합니다(41-42마디).

2) 리듬

- 2분음표가 짧아지지 않도록 16분음표를 마음으로 세면서 연주합니다(1, 4마디).
- 붓점을 첼리스트처럼 우아하게 연결하면서 연주합니다(3마디).
- 2분음표, 4분음표, 8분음표, 16분음표가 골고루 나옵니다. 다양한 음표의 길이들이 충분히 지켜지도록 연주하며 긴 음들은 더 강조하고 짧은 음들은 더 경쾌함을 살려 다양한 표현을 해봅니다,
- 싱코페이션을 살려 연주합니다(7, 9, 32, 41, 45마디).

3) 아티큘레이션

- 오른손: 레가토, 슬러, 스타카토 골고루 연주합니다. 특히 왼손과 함께 슬러를 할 때는 도약이 있으므로 더욱 집중합니다(31-34마디). 빠른 슬러를 연주합니다(38마디). 슬러 스타카토(2마디).
- 왼손: 연속적인 화음의 레가토 연주(1-8마디)와 집중적인 슬러를 연주합니다(9-10, 13-14, 32, 34, 44, 48, 54-58마디). 스포르찬도(sforzando)(23, 25마디).
- 악센트를 잘 지켜서 곡의 분위기를 살려 봅니다(26, 32, 34-39마디).
- 메조 스타카토가 잘 표현되도록 연주합니다(39마디).

Teaching Point.

4) 기술적 도전

- 앞에서 나왔던 테크닉을 모두 이용하여 완성도 높은 연주를 하도록 합니다.
- 스케일은 고르게 연주합니다(5, 35, 36, 40마디). (강의 영상 손 참고)
- 연타: 모든 음이 가볍게 연주될 수 있도록 손목을 부드럽게 연주합니다(35-38마디의 왼손).
- 트릴: 오른손이 짧은 트릴을 하면서 왼손은 가벼운 핑거 스타카토를 연주합니다(15-16, 53-55마디).
- 양손의 독립적인 연주: 오른손은 레가토 왼손은 스타카토를 합니다(17-19 마디).
- 왼손 코드는 팔 스타카토를 사용하여 빠르게 연속적으로 연주하고 오른손의 아르페지오는 단단하게 소리를 모아서 연주합니다(22, 24마디).
- 이웃음들의 슬러 빠르게 쳐보기: 이 음형은 현악곡에서 많이 볼 수 있는 음형으로 두음 슬러의 빠른 연속이라고 볼 수 있는데 모차르트, 베토벤에서 많이 나옵니다. 손 가락 번호에 유의합니다(26 마디).
- 양손을 교대로 두음 슬러를 연주하며 도약합니다(31-34 마디).
- 반복음을 포함한 상행하는 연속적인 빠른 두음 슬러: 손가락 번호에 특히 유의합니다(38-39마디).
- 앞의 곡들에 비해 넓은 음역을 연주하니 팔꿈치의 움직임과 몸통의 움직임을 잘 생각하며 연주합니다. 반진행을 하거나 넓은 음역을 큰 소리로 연주할 때는 등근육을 적당히 긴장하여 등으로 팔을 움직인다고 생각하며 연주하면 묵직하고 안정적인 소리를 낼 수 있습니다.
- 아티큘레이션과 멜로디 라인을 살리는 페달링을 연습해 보기 좋은 곡입니다. (연주 영상 참고)

D. Shostakovich: 7 Dances of the Dolls for Piano, IV. Polka

쇼스타코비치 인형의 춤 중 폴카

드미트리 쇼스타코비치의 <인형의 춤>은 서정적 왈츠, 가보트, 로망스, 폴카, 왈츠-스케르초, 허디-거디 그리고 춤이라는 제목으로 어린이들을 위해 만든 7곡의 '피아노 모음집'입니다. 그중 네 번째 곡인 <폴카>는 그의 발레 모음집 <맑은 시냇물The limpid stream(Op.39)>에서 발췌하여 편곡된 곡으로서, 피아노 교육용으로 초·중급자들에게 적절한 난이도로 쓰인 곡입니다.

『Touching Piano』에서는 이 곡을 4hands로 편곡하여 2박자 보헤미안 춤곡 폴카의 유쾌함과 신나는 리듬감을 두 명의 연주자가 함께 즐길 수 있도록 하였습니다. 슈베르트 음악과는 다른, 20세기 음악의 묘미를 만끽하며 즐겁게 연주해 보세요.

Teaching Point.

1) 터치
- 가볍고 경쾌한 터치로 연주해 봅니다.

2) 리듬
- 싱코페이션: 서로의 소리를 들으며 집중하여 싱코페이션을 연주합니다(3, 7, 8, 83마디).
- 쉼표: 음표와 쉼표를 정확히 지켜서 생동감 있는 리듬감을 표현해 봅니다.

3) 아티큘레이션
- 스타카토: 전체적으로 스타카토는 손끝과 손목을 이용하며 가볍게 연주합니다.
- 슬러: 두음 슬러는 다운 업을 강조하여 연주합니다(7-8마디, 35-44마디, 56-63마디).

4) 도전
- 템포의 변화가 있으니 얼마나 빨라지고 어느 음에서 빨리 칠지, 혹은 느리게 칠지 서로의 의견을 들으며 연습합니다.
- 세컨드 피아노는 페달링을 연습해 봅니다.
- 프레이즈를 함께 만들어 봅니다.
- 강약의 조절: 혼자 연주할 때보다 더 작게, 혹은 더 크게 강약의 범위를 확장해 봅니다.

Polka

Allegretto, ma non troppo
Piano 1
p sempre staccatissimo
Piano 2
p sempre staccatissimo
8vb

Pno. 1
rit.
a tempo
Pno. 2
rit.
a tempo
8vb

Duo 폴카 Polka [7 Dances of the Dolls 중]

https://youtu.be/tkZMJ5wBy58

40
Pno. 1
cresc.
f
Pno. 2
cresc.
f
47
Piu mosso
p scherzando
rit.
Pno. 1
Pno. 2
p scherzando
rit.
55
Pno. 1
Pno. 2

63
Pno. 1
63
Pno. 2
70
Pno. 1
70
Pno. 2
76
Pno. 1
76
Pno. 2
rit.

Tempo primo
83
Pno. 1
p
Pno. 2
90
97
f
pp
3
5
8vb

EPILOGUE.

수줍게 사랑을 고백하는 목소리, 사랑하는 사람의 머리카락을 부드럽게 빗어 내리는 모습, 지쳐서 퇴근하는 아빠에게 달려가 꼭 안아 주는 딸의 작은 팔, 그리움에 나지막이 소리 내어 불러 보는 첫사랑의 이름, 희망을 품고 간절히 신에게 호소하는 기도, 추억을 함께한 오랜 친구들과 소곤거리며 웃는 소리, 맑은 강물을 잔잔히 가르며 지나가는 작은 배 위에 앉아 반짝이는 햇살을 맞으며 강물 아래 뛰어노는 물고기들을 바라보며 감탄하는 아이들의 모습, 졸린 아가를 재우며 가만가만 토닥이는 엄마의 손길…

슈베르트를 치면서 우리에게 따뜻함을 느끼게 하는 소리와 순수하고 진실한 모습들을 상상해 보는 일은 따뜻한 터치를 만들어 내는 원동력이 될 것 같다고 생각하며 『터칭 피아노』 1권을 마칩니다.

Touching Piano Book 1. Schubert

터칭 피아노 제1권 슈베르트

1판 1쇄 펴냄 2024년 6월 7일

글 유혜영

편곡 김에스더

디자인 강초록

제작 세걸음

펴낸이 박진희

펴낸곳 ㈜파롤앤

출판등록 2020년 9월 10일 (제2020-000195호)

주소 서울시 서초구 서초대로 396, 217호

이메일 parolen307@parolen.co.kr

ISBN 979-11-986524-8-5 14670

ISBN 979-11-986524-9-2 (세트)